JE DÉCOUVRE . . .
LE MONDE MERVEILLEUX DES ANIMAUX

L'ÉCUREUIL

George Peck

Grolier Limitée
MONTRÉAL

CHEF DE LA PUBLICATION		Joseph R. DeVarennes
DIRECTEUR DE LA PUBLICATION		Kenneth H. Pearson
CONSEILLERS	Roger Aubin Gilles Bertrand	Jean-Pierre Durocher Gaston Lavoie
RÉDACTRICES EN CHEF		Anne Minguet-Patocka Valerie Wyatt
CONSEILLERS POUR LA SÉRIE		Michael Singleton Merebeth Switzer
RÉDACTION	Sophie Arthaud Charles Asselin Marie-Renée Cornu Michel Edery	Catherine Gautry Ysolde Nott Geoffroy Menet Mo Meziti
SERVICE ADMINISTRATIF	Kathy Kishimoto Monique Lemonnier	Alia Smyth William Waddell
COORDINATRICE DU SERVICE DE RÉDACTION		Jocelyn Smyth
CHEF DE LA PRODUCTION		Ernest Homewood
RECHERCHE PHOTOGRAPHIQUE		Don Markle Bill Ivy
ARTISTES	Marianne Collins Pat Ivy	Greg Ruhl Mary Théberge

Ouvrage pour la jeunesse recommandé par le Cercle des Jeunes Naturalistes du Québec.

Données de catalogage avant publication (Canada)

Ivy, Bill, 1953—
    Les grenouilles / Bill Ivy. L'écureuil / George Peck.—

(Je découvre—le monde merveilleux des animaux)
Traduction de: Frogs. Squirrels.
Comprend des index.
ISBN 0-7172-1984-4 (grenouilles). — ISBN 0-7172-1985-2 (écureuil).

1. Grenouilles—Ouvrages pour la jeunesse. 2. Écureuils—Ouvrages pour la jeunesse.
I. Peck, George K. L'écureuil. II. Titre. III. Titre: L'écureuil. IV. Collection.

QL668.E219714 1986   j597.8'9   C85-090823-X

Dépôt légal, 1er trimestre 1986
Bibliothèque nationale du Québec

Savez-vous . . .

Les écureuils sont bien connus pour leur manie d'amasser et d'emmagasiner leurs aliments. Bien sûr, on les connaît aussi pour leurs cris incessants et leurs étonnantes acrobaties. Ils semblent prendre un plaisir particulier à se poursuivre d'arbre en arbre. Ils ne cessent leur course que pour reprendre leur bavardage affolant. Tous ceux qui ont vu un chien courir après un écureuil savent combien leurs cris sont tapageurs.

Que vous viviez en ville ou à la campagne, vous devez sans doute avoir des écureuils dans le voisinage. Il est donc probable que vous les connaissiez assez bien. Mais savez-vous, par exemple:

- où les écureuils naissent?
- où ils passent l'hiver?
- pourquoi ils peuvent marcher sur des câbles électriques ou des parois verticales sans jamais tomber?

Lisez les pages qui suivent pour trouver la réponse à ces questions et d'autres.

Page ci-contre:

L'écureuil roux est le plus petit écureuil arboricole d'Amérique du Nord.

5

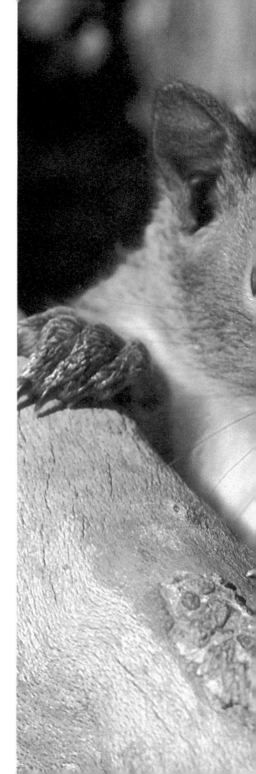

Presque prêts. . .

Dans quelques semaines, ces jeunes écureuils sauteront allégrement de branche en branche et n'auront plus besoin d'aide. En attendant, du haut de leur refuge paisible et douillet, le monde extérieur leur paraît gigantesque et effrayant.

Si les écureuils adultes sont curieux et audacieux, les plus jeunes, en revanche, sont plutôt farouches. Ils s'enfuient au moindre bruit étrange ou suspect. Ces jeunes écureuils n'ont pas encore osé s'éloigner de leur nid, mais au fil des jours, ils prennent des forces et acquièrent du courage. Leur curiosité remplacera leur nervosité et ils seront prêts à affronter seuls le monde.

«Peut-être demain. . . »

La famille des écureuils

La famille des écureuils est très grande. Il
existe une cinquantaine d'espèces d'écureuils.
On les rencontre presque partout dans le
monde sauf dans les régions désertiques
d'Égypte et d'Arabie et dans les zones
australes comme l'Australie, la Nouvelle-
Zélande et la pointe de l'Afrique du Sud.

En Amérique du Nord, les écureuils se
répartissent en deux groupes: les écureuils
arboricoles, qui vivent surtout dans les arbres,
et les écureuils terrestres, qui vivent dans des
terriers. Les écureuils qui vivent sur le sol
comprennent les chiens de prairie, les tamias,
les marmottes et les spermophiles. Les
écureuils arboricoles comprennent les écureuils
gris, les écureuils fauves, les polatouches ou
écureuils volants et les écureuils roux. Les
espèces arboricoles les plus connues en
Amérique du Nord sont les écureuils gris et les
écureuils roux.

*Les écureuils gris se sentent
parfaitement à l'aise dans les jardins
et les parcs des villes.*

Régions d'Amérique du Nord où l'on rencontre des écureuils gris.

Page ci-contre:

Une souche: un parfait poste d'observation pour tout écureuil roux aux aguets.

L'habitat des écureuils

Les écureuils gris, que l'on rencontre surtout au sud du Canada et à l'est des États-Unis, vivent volontiers dans les villes. Ils y sont relativement en sûreté, car seuls quelques-uns de leurs ennemis y vivent aussi. De plus, elles leur permettent également de se nourrir. . . et de se faire nourrir! De nombreux citadins leur donnent des noix, des croûtons et autres denrées comestibles—certains sciemment, d'autres non. En effet, tous ceux qui ont pendu à un arbre une mangeoire pour les oiseaux ont pu un jour apercevoir un écureuil gober les graines qu'elle contenait. On installe souvent des collets métalliques pour empêcher ces chapardeurs de grimper aux arbres. Mais ce sont les oiseaux qui, innocemment, nourrissent les écureuils: ils font tomber des graines sur le sol, que les écureuils engloutissent aussitôt.

On rencontre des écureuils roux partout au Canada et dans plusieurs régions des États-Unis. Contrairement aux écureuils gris, ils sont très peu attirés par les villes ou les villages.

Le territoire des écureuils

Les écureuils gris passent presque tout leur temps sur leur domaine. Celui de la femelle a une superficie allant de 2 à 6 hectares; celui du mâle est plus vaste et atteint parfois 20 hectares. Les écureuils gris partagent volontiers leur domaine avec des oiseaux ou d'autres écureuils.

Les écureuils roux, en revanche, sont très exclusifs. Défendant leur domaine avec vigueur, ils poursuivent ou tentent d'effrayer tout animal qui y pénètre (corneilles, geais, autres écureuils. . .). Le territoire d'un écureuil roux couvre en moyenne trois quarts d'hectare, mais sa superficie varie en fonction des réserves de nourriture qu'il contient.

Régions d'Amérique du Nord où l'on rencontre des écureuils roux.

Aucun doute: cet écureuil gris, de couleur noire, a une queue rousse!

Paroles d'écureuil

Lors de votre prochaine promenade en forêt, écoutez parler les écureuils.

Intrigué, l'écureuil roux lance un «ouoc-ouoc» assez faible. Mais le son qui revient le plus souvent est un «tcheur-tcheur» strident et furieux. C'est un cri de colère, destiné à éloigner les importuns. Si vous apercevez l'écureuil, vous le verrez trépigner en remuant la queue. Ce qu'il dit est bien clair: «Quittez immédiatement mon territoire!».

Les écureuils gris émettent des sons semblables quand ils sont menacés ou dérangés. Ils agitent également leur queue pour exprimer leur bonne ou leur mauvaise humeur.

Maman!

Pleins feux sur les écureuils

Les écureuils roux ont un pelage brun tirant sur le roux et un ventre blanc. Leurs yeux sont cerclés de blanc. En été, une bande noire sépare la partie rousse de la partie blanche du ventre. En hiver, son pelage, plus sombre et plus dense, ne porte pas de bande sur les flancs. En revanche, une bande d'un rouge orangé orne son échine dorsale.

Malgré leur appellation, les écureuils gris ne sont pas toujours de couleur grise. Certains sont noirs; d'autres, plus rares, sont roux. On ne peut cependant confondre les écureuils gris et les écureuils roux car ceux-ci sont nettement plus petits.

À l'âge adulte, un écureuil gris mesure en moyenne 50 centimètres, du bout du museau jusqu'à l'extrémité de la queue, soit près du double de l'écureuil roux. Il pèse de 140 à 310 grammes.

Taille comparative

Écureuil gris

Écureuil roux

Page ci-contre:

Quelle robe cet écureuil roux porte-t-il? Sa robe d'hiver ou sa robe d'été?

17

Tenue d'été, tenue d'hiver

Comme beaucoup de gens, les écureuils ont une tenue d'été et une tenue d'hiver. En été, ils ont une robe légère qui s'accommode bien de la chaleur. En automne, leur robe s'épaissit, en prévision de l'hiver.

La robe de l'écureuil se compose en fait de deux épaisseurs: un pelage court et épais, qui retient la chaleur du corps, et des jarres plus longs sur lesquels l'eau et la neige glissent. En hiver, la plante des pattes de l'écureuil se couvre de fourrure. Cela lui permet non seulement de rester au chaud, mais aussi d'avoir une meilleure prise sur les arbres mouillés ou givrés.

Vêtu pour l'hiver.

Des acrobates

Les acrobates ne peuvent qu'envier les écureuils. Ces animaux sont en effet aussi à l'aise dans les arbres que nous le sommes sur le sol. Ils se servent de leurs robustes pattes munies de griffes pour s'agripper aux arbres. Ils ont le pied si sûr qu'ils peuvent dégringoler d'un arbre la tête la première ou grimper le long d'un mur de brique. Ils parcourent souvent de longues distances sans jamais toucher le sol, en sautant simplement d'arbre en arbre. Leur queue qui tient lieu de gouvernail leur permet de garder l'équilibre.

Si les écureuils veulent redescendre rapidement au sol, il leur suffit de sauter. Membres écartés et queue dressée ils planent juste assez pour atterrir sans dommage. Il est arrivé que des écureuils roux sautent ou tombent d'une hauteur de 36 mètres sans être blessés. Des sauts de 9 mètres sont chose courante.

Ce jeune écureuil gris est en train d'apprendre qu'on n'atteint la perfection qu'à force d'entraînement.

Au sol

Ses griffes pointues et sa queue ne sont pas les seuls attributs qui font de l'écureuil un excellent acrobate. Il est aussi doté d'une excellente vue qui lui permet d'évaluer la distance exacte qui sépare une branche d'une autre.

Bien que les écureuils passent une grande partie de leur vie dans les arbres, il leur arrive souvent d'en redescendre pour se ravitailler, cacher leur nourriture ou grimper à un arbre qu'ils ne peuvent atteindre en sautant. En général, les écureuils en quête de nourriture marchent lentement sur le sol. Mais, au moindre signe de danger, ils bondissent sur l'arbre le plus proche et s'y réfugient en un éclair.

Les écureuils ne s'éloignent jamais des arbres.

Attention, danger!

Les écureuils doivent être constamment aux aguets car de nombreux animaux les trouvent à leur goût. Il leur faut se méfier des coyotes, des renards, des lynx, des loups, des mouffettes, des ratons laveurs et de certaines espèces de faucons et de hiboux. Mais leurs ennemis les plus redoutables sont les belettes. Ces animaux agiles grimpent aux arbres avec un pied aussi sûr que celui des écureuils.

Pour échapper aux belettes et aux autres grimpeurs d'arbre, les écureuils doivent courir très vite ou trouver une petite place où disparaître. Ils apprennent vite à connaître les coins et les recoins de leur domaine. Ils repèrent les meilleures cachettes qu'ils regagnent promptement quand ils sont poursuivis.

Les creux d'arbre sont d'agréables postes d'observation et d'excellents refuges.

Nid d'écureuil.

Page ci-contre:

Les écureuils s'affairent tout l'hiver, sauf pendant les jours de grand froid.

Une maison dans les arbres

De nombreux écureuils construisent leur gîte au sommet des arbres. En hiver, lorsqu'ils ont des petits à élever, les écureuils s'installent dans des arbres creux. Il s'agit soit de trous naturels soit d'anciens nids de pic. En été, s'ils ne trouvent aucun arbre creux, les écureuils construisent généralement un grand nid avec des brindilles et des feuilles.

Un nid d'écureuil ressemble à un gros tas de feuilles et de brindilles apparemment pris dans la fourche d'un arbre. En réalité, c'est un nid construit avec beaucoup de soin. Imperméable, le nid est doté d'une petite entrée menant à une pièce circulaire, douillette et tapissée d'aiguilles de pin.

Certains écureuils roux passent l'hiver dans des terriers, sous des arbres tombés, des tas de pierres ou encore parmi des racines d'arbre. En été, ils construisent un nid sur les frondaisons ou occupent un nid abandonné de corneille ou de hibou.

Les écureuils roux sont généralement solitaires. Ils peuvent néanmoins partager leur gîte d'hiver avec leurs petits. Les écureuils gris sont plus sociables. Il arrive parfois que six écureuils se blottissent dans le même nid.

Un certain laisser-aller

Les écureuils s'occupent beaucoup de leur fourrure: ils la lèchent soigneusement et la lissent avec leurs pattes. Ces soins sont importants car une fourrure propre et bien garnie les protège du froid ou du chaud en retenant une partie de l'air contre la peau.

Leur fourrure est donc d'une propreté irréprochable. Mais on ne peut en dire autant de leur gîte, plutôt mal entretenu. Quand leur gîte ou leur nid est encombré de brindilles, de feuilles et de poussière, les écureuils ne font pas le ménage, mais changent tout simplement de gîte. Imaginez-vous ce qui se passerait si personne ne faisait le ménage chez vous.

Vivent les beaux jours!

Du début du printemps à la fin de l'automne, l'écureuil commence à s'affairer dès l'aube. Suivant ses besoins, il consacre les premières heures de la journée à chercher, amasser ou cacher des aliments ou ramasser des feuilles et des brindilles pour son nid.

Vers midi, l'écureuil s'accorde un moment de repos. Il se détend alors en se prélassant au soleil ou en faisant une petite sieste, blotti au creux de son nid. À la fin de la journée, l'écureuil ressort parfois pour se ravitailler. Écureuil gris et écureuil roux sont tous deux actifs pendant la journée. Il arrive cependant qu'on les aperçoive pendant les nuits claires d'été, en quête de nourriture.

Au soleil.

30

Un menu varié

Savez-vous que les écureuils contribuent au reboisement des forêts? Ils déterrent certaines des noix qu'ils ont amassées et enfouies sous terre, mais ils en enterrent tant qu'il leur est impossible de toutes les retrouver. Les noix oubliées forment des racines et, plus tard, de nouveaux arbres.

Les écureuils ont une nette prédilection pour les noix, mais ils se nourrissent aussi de bourgeons, de fleurs, de graines, de baies, de fruits et de champignons. De très nombreux écureuils mangent également des insectes, des vers et même des œufs d'oiseau trouvés par hasard.

Les écureuils roux aiment beaucoup plus la viande que les autres écureuils. Ils n'hésitent pas à manger des escargots, des oisillons, des souris et même des lapereaux. Il leur arrive aussi de ronger de vieux os ou des andouillers de cerfs trouvés dans la forêt. La variété du menu de l'écureuil roux semble expliquer pourquoi on le trouve dans de si nombreuses régions d'Amérique du Nord. Il peut en effet se nourrir à peu près partout.

Page ci-contre:

Les écureuils roux adorent les champignons. Ils mangent même des espèces mortelles pour l'homme sans en être affectés!

Casse-noisettes

Comme tous les rongeurs, les écureuils possèdent, sur la partie frontale de chaque mâchoire, deux grandes dents pointues appelées incisives. Ces dernières, qui croissent continuellement, s'égalisent et s'aiguisent avec l'usage.

Grâce à ces dents puissantes, les écureuils peuvent facilement briser l'écale des noix et manger la délicieuse amande à l'intérieur. Ils tiennent habilement la noix entre leurs pattes et retirent la coquille tout en la tournant.

Si vous passez devant un chêne ou un noyer, arrêtez-vous au pied de l'arbre. Vous y verrez sans doute des morceaux d'écales et de coquilles de noix. Ce sont les restes rejetés par des écureuils qui viennent de festoyer sur les branches.

L'hiver des écureuils

Contrairement à certains écureuils de terrier, les écureuils arboricoles n'hibernent pas. Ils restent au contraire très actifs durant l'hiver, ne demeurant dans leur gîte qu'en cas de tourmente. En Alaska, on a vu des écureuils roux hors de leur gîte par une température de –34° C.

Comme la nourriture est plus rare en hiver, les écureuils amassent et emmagasinent des aliments en automne. Ils agissent par instinct.

Les écureuils entreposent leur nourriture selon les aliments qu'ils ont ramassés. Les noix à coquille dure sont enfouies une par une dans des trous peu profonds. Les cônes de pins et d'autres arbres sont accumulés, parfois par centaines, à même le sol. Quant aux aliments plus mous, comme les fruits et les champignons, ils sont cachés sur des fourches d'arbre où ils sèchent et se conservent jusqu'à utilisation.

Page ci-contre:

Les écureuils oublient souvent où ils ont enterré leurs provisions et comptent sur leur odorat très fin pour les retrouver dans la neige.

La saison des amours

Les écureuils gris s'accouplent en janvier; les écureuils roux en février et en mars. Chez les deux espèces, les mâles et les femelles s'unissent parfois de nouveau en été. La saison de l'accouplement est une période de grande animation. Plusieurs mâles poursuivent la femelle qui a indiqué qu'elle était prête à s'accoupler. Ces poursuites, souvent très longues, s'accompagnent de cris et de frémissements de la queue. Malgré quelques protestations et bousculades, les véritables combats sont rares entre les mâles. Au bout d'un certain temps, la femelle choisit le mâle avec lequel elle s'unira.

En général, le mâle quitte la femelle après l'accouplement. Il arrive toutefois que deux écureuils vivent momentanément ensemble et construisent parfois un nid. Dans les deux cas, le mâle est déjà parti quand les petits naissent.

«Mais où est-il donc passé?»

De tout petits écureuils

Après l'accouplement, la femelle prépare un
nid pour ses petits. Si elle ne trouve pas
d'arbres creux, dont elle aime le confort et la
sécurité, elle construit son propre nid. Elle
apporte toujours un soin particulier à l'endroit
qui abritera ses petits, le tapissant de morceaux
d'écorce et de feuilles. C'est un lit chaud et
douillet.

Environ un mois et demi après
l'accouplement, la femelle donne naissance à
ses petits. Chez les écureuils roux, une portée
compte de 3 à 5 petits, mais la femelle peut en
avoir moins ou plus, jusqu'à 8 quelquefois.
Une portée d'écureuils gris est généralement
plus petite.

Les nouveau-nés sont minuscules, roses, sans
poils et sans dents. Les yeux et les oreilles sont
fermés. À leur naissance, les écureuils roux
mesurent à peu près 70 millimètres et pèsent
moins de 7 grammes. Les petits écureuils gris
ont à peu près deux fois cette taille.

Page ci-contre:
*Ces écureuils
roux, qui
viennent de
naître,
n'ouvriront les
yeux que dans un
mois.*

Une mère dévouée

La mère passe beaucoup de temps avec ses petits pendant les premières semaines de leur vie. La petite famille vit alors une période de grande intimité. La mère chasse tous les intrus, y compris le père, qui se trouvent à proximité du gîte ou du nid.

Si cette intimité est menacée, la mère peut changer de nid. Elle transporte alors ses petits un à un en les prenant dans sa bouche, à la façon des chattes. Face à un animal qui la menace ou l'importune, elle pose provisoirement ses petits sur le sol et chasse courageusement l'intrus.

Ces jeunes écureuils gris meurent d'envie d'explorer le monde extérieur.

Une croissance rapide

À trois semaines, les petits sont munis de leurs incisives inférieures et leur dos se couvre de fourrure. Leurs oreilles s'ouvrent à quatre semaines et leurs yeux à cinq. Les yeux, d'un bleu flou, s'avivent peu à peu et deviennent noirs et brillants. Les jeunes écureuils voient alors nettement.

Au cours des premières semaines, la mère allaite ses petits. Son lait très nourrissant favorise la croissance des jeunes écureuils. À sept semaines, les petits commencent à manger des aliments solides. À 10 ou 12 semaines, ils cessent de téter et mangent comme des adultes.

«Faites-moi une petite place!»

Livrés à eux-mêmes

Dès qu'ils cessent d'être allaités, les jeunes écureuils sont capables de pourvoir à leurs propres besoins. Ils quittent alors le gîte familial et se mettent à vivre dans les arbres. À la fin de l'été, beaucoup de jeunes écureuils commencent à construire un nid de feuilles dans des fourches d'arbre. D'abord maladroits, ils apprennent peu à peu à confectionner des nids plus grands et plus solides.

En automne, les jeunes écureuils se préparent pour l'hiver, exactement comme leurs parents. Ils accumulent et engrangent des provisions. Ils se mettent aussi à la recherche d'un bon gîte hivernal. Certains écureuils passent leur premier hiver près de leur mère avec laquelle ils partagent le même gîte.

Au retour du printemps, les jeunes écureuils sont prêts à s'accoupler et à construire des nids pour leurs portées. Les écureuils vivent en moyenne cinq ans. Certains peuvent atteindre 15 ans et avoir plusieurs portées au cours de leur vie.

Glossaire

Accoupler (s')   S'unir pour avoir des petits.

Allaiter   Nourrir les petits de son lait.

Arboricole   Qui vit dans les arbres.

Hiberner   Dormir profondément pendant l'hiver.

Incisives   Dents frontales servant à couper et ronger.

Jarres   Poils longs et drus composant la couche externe de la fourrure d'un animal.

Portée   Petits nés en même temps de la même mère.

Prédateur   Animal pourchassant d'autres animaux pour s'en nourrir.

Robe   Pelage d'un animal.

Rongeur   Animal muni de dents conçues pour ronger.

Terrier   Habitation souterraine d'un animal.

Territoire   Domaine occupé par un animal et interdit aux autres animaux de la même espèce que lui.

INDEX

Couverture: Bill Ivy
Crédit des photographies: Wayne Lankinen (Valan Photos), pages 4, 40; Bill Ivy,
7, 8, 12, 15, 19, 20, 23, 24, 27, 28, 31, 32, 35, 36, 39, 43, 44; Bill Ivy (Miller Services),
11; Stephen J. Krasemann (Valan Photos), 16.

JE DÉCOUVRE . . .
LE MONDE MERVEILLEUX
DES ANIMAUX

LES
GRENOUILLES

Bill Ivy

Grolier Limitée
MONTRÉAL

CHEF DE LA PUBLICATION		Joseph R. DeVarennes
DIRECTEUR DE LA PUBLICATION		Kenneth H. Pearson
CONSEILLERS	Roger Aubin Gilles Bertrand	Jean-Pierre Durocher Gaston Lavoie
RÉDACTRICES EN CHEF		Anne Minguet-Patocka Valerie Wyatt
CONSEILLERS POUR LA SÉRIE		Michael Singleton Merebeth Switzer
RÉDACTION	Sophie Arthaud Charles Asselin Marie-Renée Cornu Michel Edery	Catherine Gautry Ysolde Nott Geoffroy Menet Mo Meziti
SERVICE ADMINISTRATIF	Kathy Kishimoto Monique Lemonnier	Alia Smyth William Waddell
COORDINATRICE DU SERVICE DE RÉDACTION		Jocelyn Smyth
CHEF DE LA PRODUCTION		Ernest Homewood
RECHERCHE PHOTOGRAPHIQUE		Don Markle Bill Ivy
ARTISTES	Marianne Collins Pat Ivy	Greg Ruhl Mary Théberge

Ouvrage pour la jeunesse recommandé par le Cercle des Jeunes Naturalistes du Québec.

Données de catalogage avant publication (Canada)

Ivy, Bill, 1953—
    Les grenouilles / Bill Ivy. L'écureuil / George Peck.—

(Je découvre—le monde merveilleux des animaux)
Traduction de: Frogs. Squirrels.
Comprend des index.
ISBN 0-7172-1984-4 (grenouilles). — ISBN 0-7172-1985-2 (écureuil).

1. Grenouilles—Ouvrages pour la jeunesse. 2. Écureuils—Ouvrages pour la jeunesse.
I. Peck, George K. L'écureuil. II. Titre. III. Titre: L'écureuil. IV. Collection.

QL668.E219714 1986   j597.8'9   C85-090823-X

Dépôt légal, 1er trimestre 1986
Bibliothèque nationale du Québec

Savez-vous . . .

Vous savez certainement à quoi ressemble une grenouille? Dans presque tous les pays du monde existent des contes de fée qui racontent l'histoire d'un beau prince métamorphosé en grenouille et auquel seul un baiser peut rendre sa forme initiale. En réalité, bien peu de gens ont envie d'embrasser une grenouille. Est-ce parce que beaucoup d'entre nous croient encore qu'une grenouille peut donner des verrues? Ces histoires sont pourtant sans fondement.

Accroupie sur une feuille de nénuphar, avec ses yeux saillants et sa grande bouche, la grenouille semble perdue dans ses pensées. Essaie-t-elle de résoudre un problème difficile? Ou songe-t-elle simplement à son prochain repas? Comme vous allez le découvrir, la grenouille doit se soucier de bien des choses et sa vie est très intéressante. Elle commence sous forme d'œuf dont éclôt un têtard. Ce dernier vit dans l'eau où il se transforme en une créature complètement différente, qui peut se déplacer sur la terre ferme. Sur terre comme dans l'eau, l'existence de la grenouille est parsemée d'aventures et de dangers.

Page ci-contre:
Une grenouille-taureau.

Au verso:
Une grenouille léopard.

5

Son habitat

La grenouille est un animal hors du commun. Comme le crapaud et la salamandre, c'est un amphibien. Ce mot vient du grec et signifie « deux vies ». La grenouille mène en effet deux vies, celle d'un animal aquatique et celle d'un animal terrestre.

Il existe 2600 espèces de grenouilles dans le monde, dont une centaine vivent en Amérique du Nord. On en rencontre dans tous les États américains et presque partout au Canada. En fait, il existe une espèce de grenouille pour presque chaque type d'habitat. Certaines, comme la grenouille-taureau, vivent dans de grands lacs. D'autres séjournent dans les marais ou les prairies. D'autres encore, comme les rainettes, élisent domicile dans les arbres. Cependant, quel que soit le lieu où elles résident à l'âge adulte, la vie de toutes les grenouilles débute dans l'eau.

La rainette verte, qui est de l'avis de beaucoup le plus beau représentant des espèces arboricoles, vit dans le sud des États-Unis.

Respirer par la peau

Si vous avez déjà tenu une grenouille dans vos mains, vous avez sans doute remarqué qu'elle était froide et moite au toucher. La peau de la grenouille est très différente de la nôtre. Elle lui permet en particulier de respirer. La grenouille capte une partie ou tout l'oxygène dont elle a besoin par la peau. C'est la raison pour laquelle les vaisseaux sanguins des grenouilles sont à fleur de peau. Contrairement à notre peau qui est sèche et constituée de plusieurs couches de tissu, la sienne est fine et humide de sorte que l'oxygène pénètre facilement dans les vaisseaux sanguins.

Au fur et à mesure que la grenouille grandit, sa peau se tend de plus en plus. Il arrive un moment où elle ne peut s'étirer davantage. Elle se déchire alors par plaques qui tombent petit à petit. Heureusement, une nouvelle couche de peau s'est formée sous l'ancienne. Et comme elle n'est pas gaspilleuse, la grenouille dévore sa vieille défroque!

Page ci-contre:
La rainette versicolore est l'as du mimétisme: elle peut rapidement changer de couleur pour se fondre à son environnement.

Hop! Hop! Hop!

La grenouille a un corps aussi bien adapté à la vie terrestre qu'à la vie aquatique. Grâce à ses pattes postérieures puissantes, la grenouille saute et nage très bien. Certaines espèces font des bonds incroyables, correspondant à vingt fois la longueur de leur corps. C'est comme si vous sautiez d'un seul bond au-dessus d'un terrain de football!

Dans l'eau, la grenouille est tout aussi à l'aise. Ses pattes arrière sont munies chacune de cinq doigts réunis par une fine membrane de peau. Grâce à ses pieds palmés qu'elle utilise pour se propulser, cette championne de natation fend l'eau sans effort. En fait, la forme du pied de la grenouille est si parfaite qu'on s'en est inspiré pour fabriquer les palmes de plongée sous-marine. Vous comprenez maintenant pourquoi on appelle les plongeurs sous-marins des hommes-grenouilles!

Pouvez-vous deviner à quoi cette grenouille léopard doit son nom? Bien sûr aux taches qui ornent son corps.

Des yeux inhabituels

Ses gros yeux saillants donnent à la grenouille un air quelque peu comique. Nous serions légèrement ridicules si nous en avions de semblables, n'est-ce pas? Pour la grenouille, en revanche, ils présentent de nombreux avantages.

Pour voir clairement un objet, nos deux yeux doivent converger ensemble sur lui. Chez les grenouilles, chaque œil regarde dans la direction opposée. Et bien qu'elles ne puissent pas tourner la tête, leur champ de vision est quasi circulaire, c'est-à-dire qu'elles voient tout autour d'elles. Rien d'étonnant qu'il soit si difficile de les attraper!

Contrairement à nous encore la grenouille ne ferme pas les yeux en abaissant les paupières. Elle bouge ses yeux! Elle les rétracte dans les orbites, ce qui permet aux paupières de se clore. Elle possède aussi une paupière supplémentaire, transparente, qui se déplace de bas en haut pour garder l'œil propre et humide. Sous l'eau, cette sorte de fenêtre protège l'œil de la grenouille et fait office de masque de plongée.

Page ci-contre:
Bien que la grenouille— taureau soit la plus grande espèce d'Amérique du Nord, son nom n'évoque pas sa taille mais son cri qui est digne d'un mugissement de bovin.

Une vraie gloutonne!

Pour la nourriture, la grenouille n'est pas difficile: elle mange tout ce qui bouge! Elle goûte sans hésiter tout être vivant, pourvu qu'il soit à la taille de sa bouche. Qu'une écrevisse, un escargot, une limace, un ver, un poisson ou un insecte s'approche et elle le gobe.

La grenouille se tient très mal à table. Elle ne mâche pas ses aliments poliment. Non, elle les avale d'une bouchée, comme une gloutonne. Elle enfourne les plus grosses proies dans sa bouche en les poussant avec ses deux mains. Les petites dents de sa mâchoire supérieure les empêchent ensuite de s'échapper. Pour que les aliments glissent mieux, la grenouille rétracte même ses yeux dans leurs orbites et s'en sert pour pousser la nourriture dans sa gorge. Ses yeux rentrent vraiment à l'intérieur de sa tête et puis en ressortent!

Chez beaucoup de grenouilles, il est facile de distinguer le mâle de la femelle: les tympans du mâle sont plus grands que ses yeux. Pouvez-vous dire si cette grenouille verte est un mâle ou une femelle?

Une tireuse d'élite

Lorsqu'elle chasse de petits insectes, la grenouille fait preuve d'une plus grande distinction. Immobile, elle attend patiemment que sa proie se présente. Lorsqu'un insecte se trouve à distance raisonnable, elle attaque. Elle projette sa longue langue gluante, attrape l'insouciant, qui s'englue. Elle rétracte immédiatement sa langue dans la bouche. Tout ceci se passe à une vitesse incroyable. La grenouille vise à merveille et rate rarement sa cible. Elle peut même attraper une mouche en plein vol!

Page ci-contre:
À l'affût. (Rainette crucifère)

Des ruses pour se défendre

La vie de la grenouille ne se résume pas à jouer, s'amuser et gober des insectes. Elle doit aussi prendre garde de ne pas se faire dévorer. Elle est constamment sur le qui-vive car elle a des ennemis: le héron, la loutre, la belette, le hibou, la mouffette, le renard et certains poissons, par exemple. Cependant, le plus dangereux de tous est sans doute le serpent-jarretière, qui dégusterait volontiers s'il le pouvait une grenouille à chaque repas.

Pour se protéger, la grenouille se fie à sa vue perçante et à son ouïe fine. Sur le rivage, elle se tient toujours face à l'eau. Elle est munie de chaque côté de la tête d'un grand tympan circulaire très sensible aux onde sonores. Dès qu'elle entend une brindille craquer ou qu'elle pressent un danger, elle plonge et nage jusqu'au fond de la mare. Comme sa peau est très glissante, il est aussi difficile de la saisir qu'un savon tout mouillé.

Lorsqu'on la capture, la grenouille du Nord dégage une odeur qui rappelle celle du vison.

Pourtant, beaucoup de grenouilles se font prendre. Certaines crient à corps perdu quand on les attrape. Souvent, ce bruit soudain surprend l'ennemi et donne le temps à la grenouille de s'échapper. D'autres avalent de l'air et se gonflent dans l'espoir de convaincre l'attaquant qu'elles sont bien trop grosses pour lui.

De plus, les grenouilles arborent des couleurs et des motifs qui se fondent dans la nature et les rendent presque invisibles. Certaines, comme les rainettes, changent même de couleur pour s'adapter au milieu environnant. En se confondant ainsi avec le paysage, elles échappent plus facilement à leurs ennemis affamés.

On reconnaît la grenouille des bois à son masque foncé.

Des grimpeuses

Quand vous partez à la chasse à la grenouille, vous cherchez probablement au bord de l'eau et dans les herbes hautes. La prochaine fois, regardez en l'air. Vous découvrirez peut-être des rainettes.

Alors que la majorité des grenouilles vivent sur le sol, ces remarquables gymnastes sortent de l'eau après l'accouplement et la ponte pour grimper dans les arbres et les buissons. Grâce aux minuscules disques adhésifs dont est munie l'extrémité de leurs doigts, elles peuvent grimper sur pratiquement n'importe quelle surface.

Il existe treize espèces de rainettes en Amérique du Nord. Presque toutes sont très menues et peuvent tenir sur une feuille. Excellentes musiciennes, elles adorent chanter juste avant l'orage. Leur couleur peut changer d'heure en heure, ce qui les rend difficile à observer. Si, par une chaude nuit d'été, vous entendez un trille aigu, il pourrait s'agir d'un de ces petits ménestrels annonçant sa présence. N'oubliez pas, regardez en l'air!

Cramponnez-vous! (Rainette versicolore)

Pied de rainette

Antérieur

Postérieur

Les ménestrels de la mare

Au printemps, la plupart des grenouilles se rassemblent dans les mares et les marais pour s'accoupler et pondre. Certaines réintègrent le milieu aquatique au tout début du printemps alors que les eaux sont encore gelées. D'autres, comme la grenouille-taureau, attendent qu'il fasse meilleur et que l'eau soit plus douce.

Dès qu'ils arrivent dans la mare ou le marais, les mâles se mettent à chanter bruyamment, parfois pour délimiter leur territoire, mais le plus souvent pour impressionner les femelles. Chaque espèce a son appel distinct. Il existe une grenouille qui aboie et une autre qui ronfle. D'autres sifflent, gazouillent ou font des trilles comme les oiseaux.

De tous ces appels, le plus joli est sans doute celui de la rainette crucifère. Son prîp-prîp-prîp haut et clair est le premier chant que l'on entend à la fin de l'hiver. Lorsque plusieurs rainettes crucifères chantent en chœur on dirait de loin les clochettes d'un traîneau. Mais la voix grave de la grenouille-taureau est sûrement celle que l'on connaît le mieux.

Page ci-contre:
La rainette crucifère est si petite qu'on ne la voit pas souvent. Mais on l'entend, par contre.

Chanter la bouche fermée

Comment la grenouille produit-elle ses coassements ou ses gazouillements? Elle ferme la bouche et pince les narines. Après avoir inspiré profondément, elle fait faire à l'air un va-et-vient de façon répétée entre le larynx et le sac vocal qu'elle a dans sa gorge ou sur les côtés de la tête. Chez certaines espèces, ce sac vocal s'enfle tellement qu'il est presque aussi gros que la grenouille elle-même! Quand une de ces grenouilles chante, on a vraiment l'impression qu'elle fait des bulles avec de la gomme à mâcher!

De façon surprenante, la plupart des femelles ont une voix très faible, voire inexistante. Elles se contentent d'écouter les chants des mâles. Cependant, ne croyez pas qu'une femelle réponde à l'appel de n'importe quel mâle. Elle ne réagit qu'aux cris de ceux de sa propre espèce.

La rainette faux-criquet élit domicile dans les clairières et dans les champs.

Des œufs à profusion

Au printemps ou au début de l'été, la femelle pond ses œufs dans l'eau et le mâle les asperge de sperme, une sécrétion qui va les faire se développer en têtards. Suivant l'espèce de grenouille, de 100 à 20 000 œufs sont pondus.

Contrairement à ceux des oiseaux, les œufs de grenouille sont dépourvus de coquille. Ils sont protégés toutefois par une épaisse couche de gelée transparente qui gonfle dans l'eau et les agglutine tous ensemble.

Les tout petits têtards qui se développent dans les œufs se nourrissent de la gelée qui les recouvre. Chez certaines espèces, les têtards naissent au bout de quelques jours, chez d'autres, au bout d'une semaine ou plus.

Une grenouille des bois et ses œufs.

Le jour de l'éclosion

Sortir de son enveloppe gélatineuse pourrait être difficile pour le têtard. Heureusement, au moment où il est prêt à éclore, elle a perdu de son épaisseur. En tortillant sa petite queue, le minuscule têtard se libère. Il est muni d'une ventouse sous la tête et va se fixer sur une plante.

Quelle étrange créature que ce nouveau-né! Il n'est pas complètement fini. Sa tête et son corps ne font qu'un et il n'a ni yeux ni bouche. De chaque côté de la tête, des branchies en forme de plumes lui permettent de respirer sous l'eau.

Bientôt, comme par magie, des yeux se forment et le têtard voit le monde pour la première fois. Ensuite les branchies externes disparaissent et sont remplacées par d'autres situées sous la peau. Une petite bouche ronde se dessine aussi. Elle est munie d'un bec rappelant celui du perroquet et de dents pointues. C'est un outil parfait pour manger les minuscules plantes et animaux aquatiques ou pour arracher les algues des rochers.

Page ci-contre:
La gelée qui enveloppe ces œufs fournit de la chaleur aux têtards en développement. De plus, elle repousse les prédateurs en raison de son goût amer.

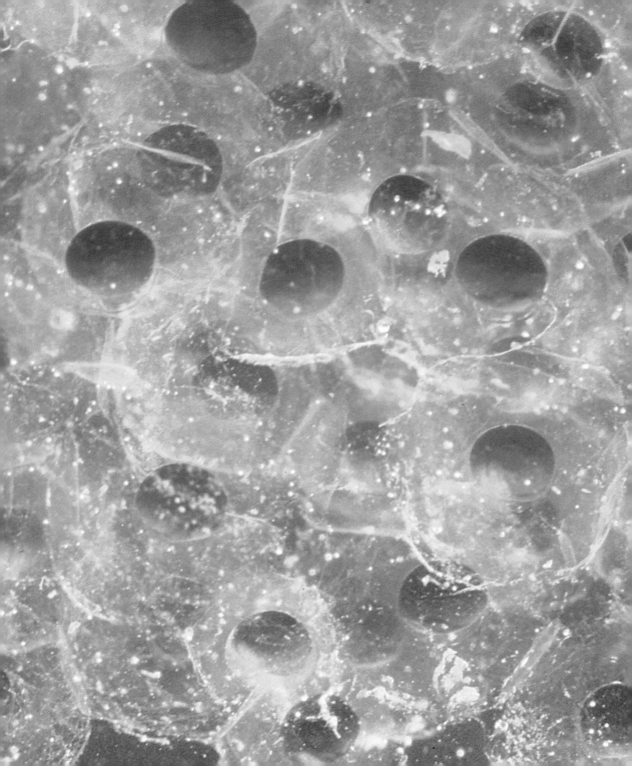

De singuliers prédateurs

Le têtard court de nombreux dangers car il a de nombreux ennemis. Les poissons, les tortues, les insectes aquatiques et les oiseaux s'en délectent tous. Parfois une araignée-loup court à la surface de l'eau, saisit un têtard qui ne se doute de rien et le traîne hors de l'eau pour le manger plus tard. Mais son ennemi le plus étrange est sans doute la plante carnivore appelée utriculaire.

Cette plante bizarre flotte dans l'eau et possède de petits sacs, les outres, sur les bords des feuilles. Chaque outre est bordée de poils tactiles et munie d'une trappe qui s'ouvre vers le fond. Si un têtard effleure par inadvertance les poils, la trappe s'ouvre, aspire sa proie et se referme aussitôt. Pauvre têtard! Il n'a plus aucun espoir d'échapper à l'utriculaire.

Ce têtard de grenouille verte a perdu ses branchies et doit capter à la surface l'air dont il a besoin pour respirer.

Des grenouilles encore et toujours

La meilleure défense du têtard contre ses prédateurs est de passer inaperçu. Toutefois, très peu d'entre eux survivent.

Cela n'est pas aussi grave qu'il ne paraît si on se souvient du nombre d'œufs que pond la grenouille. Bien que les sangsues, les scarabées et d'autres insectes en gobent une certaine quantité, bon nombre se développent en têtards. Et si 50 pour cent de ces têtards atteignaient l'âge adulte, nous serions envahis par les grenouilles! On estime que sur vingt œufs, un seul survit jusqu'au stade de grenouille.

Contrairement aux grenouilles, les crapauds sont couverts de verrues. Leur peau est plus sèche et ils sont plus gros. Pouvez-vous dire s'il s'agit d'un crapaud ou d'une grenouille? (Crapaud d'Amérique)

Le grand changement

En grandissant, le têtard se met à manger plus d'animaux que de plantes. Il se nourrit de petits animaux aquatiques.

À l'intérieur de son corps, de nombreux changements se produisent. Ces transformations sont aussi étonnantes que celles qui ont lieu dans le cocon du papillon.

Progressivement, les branchies du têtard se transforment en poumons et il commence à faire surface pour respirer. Les pattes postérieures se mettent à pousser. Apparaissent ensuite les pattes antérieures. La bouche s'élargit et les yeux deviennent protubérants. Peu de temps après, les pattes arrière sont assez longues pour servir à la nage.

Si le têtard perd l'un de ses membres, un nouveau pousse pour le remplacer! Mais cela n'est possible qu'à ce stade de son évolution. Une grenouille adulte ne peut plus remplacer ses membres.

De jour en jour, le têtard ressemble davantage à ses parents.

Page ci-contre:

Toujours têtard, mais il ressemble tous les jours un peu plus à une grenouille. (Grenouille verte)

Têtard ou grenouille?

Quand les quatre pattes ont fini de pousser, le têtard est une créature qui appartient à la fois à deux mondes différents. S'agit-il d'une grenouille avec une queue ou bien d'un têtard avec des pattes? Qu'en pensez-vous?

Avant d'être prêt à sauter hors de l'eau sous forme de grenouille adulte, il doit subir une dernière transformation. Cet être curieux, mi-grenouille mi-têtard, arrête de manger et la nourriture enmagasinée dans sa queue s'épuise pour permettre à son organisme de continuer à fonctionner. Cette dernière se résorbe donc lentement à l'intérieur du corps. Lorsqu'elle a pratiquement disparu, il n'y a plus aucun doute, le têtard est devenu une grenouille!

Chez la plupart des espèces, la transformation complète d'œuf en grenouille dure environ deux mois. Chez certaines, cependant, elle prend beaucoup plus de temps. Par exemple, il faut deux ans à la grenouille-taureau pour accomplir le cycle.

Page ci-contre:

Cette grenouille verte s'aventure hors de l'eau pour la première fois.

Une nouvelle existence

La jeune grenouille doit maintenant apprendre à sauter sur la terre ferme. Au début elle est un peu gauche, mais très vite elle se sent aussi à l'aise sur terre que dans l'eau. Un nouveau chapitre de sa vie s'ouvre.

Elle a encore beaucoup à apprendre mais elle le fait très vite. En peu de temps, elle sait attraper sa nourriture avec dextérité et se tenir aux aguets pour éviter de se faire capturer par un autre animal. Elle passe les chaudes journées d'été dans la mare, seuls ses gros yeux dépassant à la surface de l'eau. Elle sait ainsi tout ce qui se passe aux alentours.

Ensuite, le temps se rafraîchit. Bientôt des feuilles de toutes les couleurs tombent dans l'eau. L'hiver approche.

En absorbant par sa peau l'oxygène dissous dans l'eau la grenouille peut séjourner longtemps sous l'eau. (Grenouille léopard)

Un sommeil profond

La grenouille, comme tous les amphibiens, a le sang froid. Elle n'a donc aucun contrôle sur la température de son corps. Celle-ci monte ou baisse selon la température ambiante. Si une grenouille a trop chaud ou trop froid, elle meurt. Mais alors, qu'arrive-t-il aux grenouilles des pays froids quand l'hiver arrive? Comment survivent-elles?

Comme beaucoup d'animaux, elles tombent dans un sommeil profond appelé hibernation. Certaines s'enfouissent dans le sol, d'autres choisissent simplement un endroit abrité, sous une bûche ou une pierre. Mais la plupart des grenouilles s'enfoncent dans le fond boueux d'une mare ou d'un lac. Là, elles arrêtent de respirer

par les poumons et absorbent l'oxygène à travers leur peau. Les battements de cœur de la grenouille ralentissent beaucoup et elle ne mange ni ne bouge jusqu'au printemps suivant.

Finalement, le beau temps revient et la dormeuse sort de sa retraite pour saluer le monde de son chant. Et le cycle miraculeux de la transformation de l'œuf en têtard et de têtard en grenouille se répète.

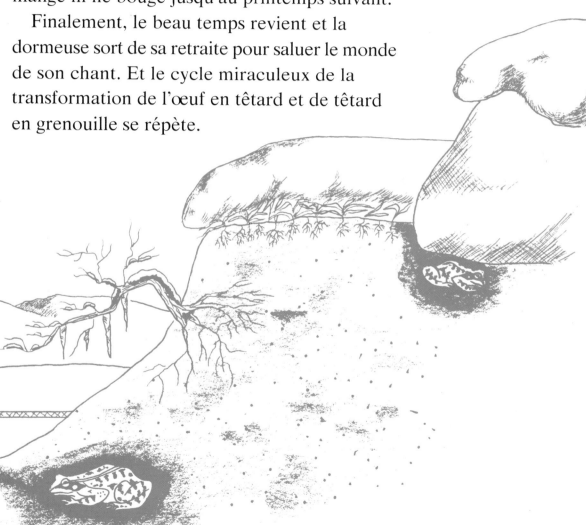

La grenouille et nous

Depuis des siècles, la grenouille fascine les enfants autant que les adultes. Son incroyable métamorphose s'observe facilement et constitue encore une des grandes merveilles de la nature.

Mais la grenouille n'est pas seulement un animal intéressant. Elle est aussi très utile car elle se nourrit d'insectes nuisibles, dont elle fait une grande consommation. C'est pourquoi beaucoup de jardiniers en élèvent dans leurs mares. La prochaine fois que vous apercevrez une grenouille, arrêtez-vous un instant et pensez à tout ce que ce remarquable petit animal nous apporte en aide et en plaisir.

Glossaire

Algues Plantes aquatiques très simples.

Amphibiens Groupe d'animaux qui vivent à la fois sur terre et dans l'eau. Les grenouilles, les crapauds, les tritons et les salamandres sont des amphibiens. On les appelle aussi batraciens.

Branchies Orifices sur la tête du têtard qui absorbent l'eau et en extraient l'oxygène.

Camouflage Couleurs et motifs qui permettent à un animal de se confondre avec le paysage.

Habitat Région ou type de région dans laquelle un animal vit naturellement.

Hibernation Profond sommeil dans lequel tombent certains animaux pendant toute la durée de l'hiver.

Oxygène Composant de l'air dont la plupart des êtres vivants ont besoin pour vivre.

Poumons Organes qui extraient l'oxygène de l'air pour que le corps puisse l'utiliser.

Sperme Substance produite par le mâle qui doit être en contact avec les œufs de la femelle pour qu'ils soient fertiles, c'est-à-dire pour qu'ils se transforment en têtards.

Têtard Nom de la larve à partir de laquelle se développe la grenouille.

INDEX

Couverture: Bill Ivy
Crédit des photographies: Bill Ivy, pages 4, 6-7, 9, 10, 13, 14, 17, 18, 22, 25, 26, 29, 34, 37, 38, 41, 42; P. Louis (Valan Photos), 21; Harold V. Green (Valan Photo), 30, 33.

Imprimé en Espagne